CW00385238

PAIDEIA
ÉDUCATION

ALPHONSE DE LAMARTINE

Méditations poétiques

Analyse littéraire

ISBN 978-2-7593-0331-1
Dépôt légal : Août 2019

SOMMAIRE

BIOGRAPHIE

ALPHONSE DE LAMARTINE

Alphonse de Lamartine, ou de son nom complet Alphonse Marie Louis de Prat de Lamartine, est un écrivain et un homme politique français né en 1790, à Mâcon. Il est l'auteur de romans, de tragédies, de poèmes, d'essais, de récits de voyage, et de récits autobiographiques.

Alphonse de Lamartine est l'aîné d'une famille de six enfants. Après une enfance heureuse à Milly, il suit sa scolarité chez les jésuites dans la ville de Belley avant de devenir un jeune aristocrate à la vie dissipée. À l'image de son père, il rêve à vingt ans d'une carrière diplomatique ; cependant, sa famille est royaliste et Napoléon Ier occupe le sommet du pouvoir. De 1811 à 1812, il se rend à Naples où il fait la rencontre amoureuse d'Antoniella, une employée de la manufacture des tabacs, qu'il évoquera dans *Graziella.* Faisant suite à la dissolution de la *Commission Napoléon II*, le retour de Louis XVIII lui ouvre de nouvelles opportunités. Aussi, en 1815, lors de la Restauration, Lamartine entre brièvement au service des gardes du corps de la Maison du Roi. Il démissionne ensuite de cette charge qui l'ennuie avant d'émigrer en Suisse. En cure à Aix-les-Bains, il rencontre en 1816 sa muse Julie Charles qui lui inspirera notamment son plus célèbre poème « Le Lac ». En 1820, il épouse Mary-Ann Birch, une catholique anglaise. A partir de cette date, il réalise son rêve, et passera six années dans les ambassades italiennes, pour ne revenir en France qu'en 1926.

L'année de son mariage, il devient le chantre du moi grâce au triomphe de ses *Méditations poétiques*, recueil considéré comme le premier succès littéraire des romantiques en France. Dans *Le Chant du pèlerinage d'Harold* (1825), il rejettera toutefois cette étiquette en y affirmant que le poète ne doit pas puiser son inspiration de sa propre individualité.

Ses lectures de jeunesse comprennent Chateaubriand, Mme de Staël, Goethe et Byron : il était donc prédisposé à rejoindre la génération romantique. Il confirme sa vocation de poète lyrique en publiant les *Nouvelles méditations poétiques* (1823) ; *La Mort de Socrate* (1823) et les *Harmonies poétiques et religieuses* (1830). 1829 marque l'année de la reconnaissance pour cet homme de lettres : il est élu à l'Académie française.

À partir de 1830, il quitte la diplomatie pour expérimenter la vie politique et révèle ses dons d'orateur publique. Lamartine ressent son implication sur le terrain politique comme une nécessité. Dans sa pensée, en cette période de trouble national, une absence d'engagement social équivaudrait à une faute morale. Son écriture évolue : il abandonne la poésie du moi et met sa plume au service de cet engagement. Il écrit ainsi des odes politiques comme *Contre la peine de mort* (1830) et l'*Ode à Némésis* (1831) où il s'exclame même : « Honte à qui peut chanter tandis que Rome brûle ! » Il écrit également un essai intitulé *Sur la politique rationnelle* (1831) dans lequel il partage ses idées politiques. C'est avec une gravité toute solennelle qu'il rappelle l'enjeu auquel sa génération doit répondre. Face à une instabilité politique alarmante, les hommes ont le choix d'opérer un glissement vers un progrès sociétal ou de s'endiguer dans un sombre chaos politique – et Lamartine combat vigoureusement l'anarchie. Il expose donc dans cet ouvrage la théorie d'une « époque évangélique », qui naîtrait de l'application des doctrines évangéliques à la politique humaine. Les principes divins d'égalité, de liberté et même de charité chrétienne trouveraient ainsi leur place au sommet de l'État, organisation qui gouvernerait pour le seul bien de tous. (Cependant, il convient de rappeler ici que Lamartine est pour le principe de la séparation de l'Église et de l'État.)

Suite à son échec à la députation, il part vers le Proche-Orient en 1832. Il a la douleur de perdre sa fille Julia, qui souffrait de tuberculose, à Beyrouth. Durant cette absence, il est prévenu qu'il a été élu, contre toute attente, député de Bergues. Il revient en France en 1833, où il deviendra tour à tour député de Bergues, de Mâcon et du Loiret. Il continue d'écrire et publie *Jocelyn* (1836) ; *La Chute d'un ange* (1838) et *Les Recueillements* (1839). Avec *Jocelyn*, il développait l'idée d'une instruction des plus humbles. Il abandonne ensuite la poésie pour se consacrer entièrement à la politique et publie son *Histoire des girondins* (1847). Lamartine refuse de s'inscrire dans un quelconque parti : il forme à lui seul le parti social. Il reçoit une proposition de Thiers qu'il rejette et conserve son indépendance. Ministre des affaires étrangères, il devient le chef du gouvernement provisoire de la IIe République qu'il proclame le 24 février 1848. Ses adversaires le feront tomber du pouvoir quatre mois plus tard. Il est particulièrement victime des manœuvres du comte Alfred de Falloux, un député farouchement opposé aux ateliers nationaux mis en place par le gouvernement provisoire. Leur création faisait suite à la fermeture successive de nombreuses usines. On décomptait alors plus de cent milles chômeurs à Paris. La décision de mettre fin à l'indemnité quotidienne consentie à ces ouvriers provoque la violente insurrection du 23 juin 1848. L'assemblée renvoie Lamartine et sa commission exécutive dès le lendemain. Après son échec aux élections présidentielles du mois de décembre de la même année contre Louis Napoléon Bonaparte – le neveu de l'empereur – qui est élu au premier tour du suffrage universel, Lamartine se retire de la scène politique.

Lamartine allouait chaque année des sommes considérables à ses sœurs. En tant qu'unique descendant masculin de sa famille, il avait eu scrupule à hériter à lui seul de tous les biens de ses parents. Cependant, ses terres lui coûtaient plus qu'elles ne lui rapportaient. Dans la dernière partie de sa vie

(1849-1868), il doit donc faire face à de préoccupants problèmes financiers qui font de lui un galérien des lettres. Il sera contraint de vendre le domaine familial de Milly. Il rédige des compilations historiques telles que l'*Histoire des constituants* (1852) ; *Histoire de la Turquie* (1854-1855) ; *Histoire de la Russie* (1855) ou des romans comme *Le Tailleur de pierre de Saint-Point* (1851). On retrouve tout son talent dans des écrits autobiographiques comme *Confidences*, un recueil de souvenirs qui contient *Graziella* et *Raphaël* (1849), ou encore les *Nouvelles confidences* (1851). Il dispense un *Cours familier de littérature* à des abonnés à partir de 1856. Il est resté, malgré ses protestations, le poète de l'émotion et du souvenir. Il s'éteint à Paris le 28 février 1869.

PRÉSENTATION DES MÉDITATIONS POÉTIQUES

Publiées le 13 mars 1820, *Les Méditations poétiques* de Lamartine sont saluées comme un événement poétique majeur et remportent un vif succès. À dix-huit ans, Victor Hugo salue le poète dans *Le Conservateur littéraire*, une revue fondée par la famille Hugo en 1819 : « Courage, jeune homme, vous êtes de ceux que Platon voulait combler d'honneur et bannir de sa république. » (Il fait référence au Xe livre de Platon.) La sortie de ce recueil signe le premier grand succès du romantisme. La poésie romantique est si étroitement associée aux poèmes lamartiniens qu'Alfred de Musset parle en 1831 de « pleurards à nacelles » dans sa dédicace de *La Coupe et les lèvres*. Pour Musset, cette expression vise les pâles imitateurs du style lamartinien. Cependant, un malentendu a pour conséquence le déplaisir du maître, qui croit faire l'objet des railleries de Musset.

Le recueil comprend vingt-quatre poèmes composés en vers réguliers, essentiellement des alexandrins. Peu d'originalité du point de vue de la forme, hormis des strophes nouvelles ; mais comme l'indique le titre du recueil, le poète s'adonne à de profondes réflexions : il s'éloigne d'une poésie classique intellectuelle pour donner libre cours au flux de ses émotions. Il use d'un lyrisme abondant qui renvoie à l'élégie. Il compose ainsi des paysages qui reflètent ses états d'âme, et ses poèmes traitent des thèmes chers aux romantiques : la fuite du temps, la mélancolie, le mal de vivre, l'exaltation de l'amour à travers le personnage d'Elvire, le divin, et la nature comme refuge et source d'apaisement. On retrouve dans ses vers les procédés des romantiques : un vocabulaire et une ponctuation expressive, le registre élégiaque, un rythme incantatoire, et bien entendu l'usage du « je » qui permet au poète d'exprimer directement ses émotions les plus intimes. Construit en contraire du classicisme, le romantisme s'attira les foudres de la critique littéraire. Désiré Nisard ne rend ainsi pas grâce au poète. Il n'apprécie pas Lamartine et critique ce qu'il considère comme de la confusion et de l'égarement. Il dira à son sujet que : « La plume tenait la main. »

Opposés aux romantiques, les réalistes critiquent ces effusions du moi. Gustave Flaubert, dans une lettre datant de 1953 destinée à Louise Colet, fustige avec violence ce « lyrisme poitrinaire » dont Lamartine est le grand représentant. Il doute de la pureté des intentions du poète, qui aurait écrit dans le but de plaire à un public féminin. Il remet en cause le caractère fantasmagorique de cette poésie teintée d'hypocrisie qui se garde bien de traduire, à ses yeux, la réalité des faits. Sa vaporeuse muse, loin d'éblouir l'exigeant auteur de *Madame Bovary*, l'agace par sa perfection. Dans une nouvelle lettre adressée à la poétesse, Flaubert ironise sur l'Elvire de Lamartine : « Il est plus facile en effet de dessiner un ange qu'une femme. Les ailes cachent la bosse » (24 avril 1852). Mais pour les romantiques, la raison compte moins que l'imagination. Il est vrai que Lamartine se sert de sa vie amoureuse pour construire la figure d'Elvire, présente dans plusieurs poèmes de son recueil. Mais il s'agit bien d'une femme idéalisée, contraction poétique des femmes qu'il a aimées et de ses lectures. Elle renvoie à un amour platonique et peut être comparée à la Laure de Pétrarque ou à la Béatrice de Dante.

RÉSUMÉ DE L'OEUVRE

I) Les poèmes qui s'adressent à l'Elvire mourante.

A) « Le Lac »

À Aix-les-Bains, c'est à l'occasion d'une cure thermale que le poète fait la connaissance de Julie Charles sur les bords du lac du Bourget au mois d'octobre de l'année 1816. Le jeune homme se prend de passion pour cette femme mariée, et de retour à Mâcon, il entretient avec elle une correspondance amoureuse. Ils doivent se retrouver l'année suivante à l'endroit de leur première rencontre. Mais, souffrant de phtisie, la jeune femme est trop faible pour voyager : le poème relate l'attente déçue du jeune homme. Lamartine achève la composition de ce poème le 23 septembre 1817. À cette période, Julie se trouvait déjà au plus mal.

« Le Lac », qui est l'un des plus célèbres poèmes de Lamartine, est en fait une élégie. Ce sous-genre de la poésie lyrique a pour fonction d'exprimer la mélancolie. Le poème se compose de seize quatrains, qui comprennent des alexandrins et des hexasyllabes. Le thème principal de ce poème est le temps, une donnée obsessionnelle pour l'homme qui tente de le retenir vainement. Le poète oppose la fugacité du temps humain à l'éternité de la nature, à qui il veut confier le soin de préserver ses souvenirs les plus précieux.

Thème phare du romantisme, le motif de la fuite du temps s'établit par des procédés littéraires divers. Les vers 29 et 30 illustrent parfaitement ce thème (« Mais je demande en vain quelques moments encore, / Le temps m'échappe et fuit »). Le temps, omniprésent, s'écoule inexorablement malgré les prières du poète. On constate ainsi un champ lexical de la durée et du temps particulièrement fécond : « éternelle », « âges », « année », « temps », « moments », « aurore », « passé », « rajeunir », « hâtons-nous ». L'écoulement sans fin du temps est signalé par la métaphore filée de l'eau : « emportés », « l'océan des âges », « flots harmonieux », « suspendez votre cours », « coulez », « il coule », « sombres abîmes », « engloutissez ».

Le poète tente de briser ce cycle naturel en lançant à la nature de multiples appels inopérants. Sa prière s'adresse à un temps personnifié (« Temps jaloux ») et à la nature toute entière, qui symbolise l'éternité, grâce à des énumérations (« Ô lac ! rochers muets ! grottes ! forêt obscure ! »). Le ton est implorant et pressant : aux vers 31 et 32, il ordonne à la nuit de s'attarder (« Je dis à cette nuit : Sois plus lente ; et l'aurore / Va dissiper la nuit. »). On constate la forte présence du mode impératif dès la strophe six. Dans les trois dernières strophes, le style devient particulièrement emphatique : le poète utilise la répétition et l'anaphore, figures d'insistance, pour adresser grâce à des subjonctifs injonctifs une véritable prière à la nature. Il lui demande la grâce de préserver la trace du souvenir de celle qui demeure absente.

La volonté de stopper le temps est traduite également par la variabilité interne du rythme (« Ô temps (2), suspends ton vol (4), et vous (2), heures propices (4) / Suspendez votre cours (6) »).

Mais les efforts du poète demeurent vains. L'interrogation de la première strophe est une question rhétorique (« Ne pourrons-nous jamais sur l'océan des âges / Jeter l'ancre un jour ? »). Le poète sait, dès le début du poème, qu'il est impossible de contrôler le cours du temps. L'antithèse mise en valeur par le parallélisme grammatical et rythmique présent au vers 43 (« Ce temps qui les donna, // ce temps qui les efface, ») montre la toute-puissance du temps, qui donne aussi vite qu'il reprend. Les fréquents enjambements mettent en relief des vers courts qui illustrent l'accélération du temps (« Parlez : nous rendrez-vous ces extases sublimes / Que vous nous ravissez ? »). La détresse qui résulte de cette impuissance est indiquée par une ponctuation particulièrement expressive. Les questions et les exclamations traduisent son grand désarroi (« Eh quoi ! n'en pourrons-nous fixer au moins la trace ? »).

A partir de la sixième strophe, le poète prête sa voix à sa bien-aimée. Elvire est ainsi réduite à une voix lointaine dont la provenance reste imprécise puisqu'elle émane du rivage, un lieu limitrophe qui renvoie à la fois à la terre et à l'eau. La présence désincarnée d'Elvire semble indiquer que déjà, le poète considère qu'elle est entre deux mondes. (Le poème préfigure le drame à venir : Julie Charles meurt le 18 décembre 1917, soit deux mois après l'achèvement de celui-ci.) Cette voix éthérée apporte un nouvel élan au poème : les accents idylliques d'Elvire ont le pouvoir de charmer la nature environnante. La voix semble jaillir succinctement aux souvenirs énoncés dans les strophes antérieures. C'est le poète qui invoque cette intervention mystérieuse par la seule évocation de leur amour. Le poète signale ce retournement de situation avec une locution adverbiale au début de la cinquième strophe : « Tout à coup ».

Lamartine fait ensuite implicitement référence au mythe de Narcisse et d'Echo au vers 18, mythe dans lequel la nymphe Echo ne subsiste qu'à travers sa voix. (Héra, pour punir Echo, l'avait privée de sa voix, et celle-ci ne pouvait répéter que les derniers mots qu'elle entendait.) La voix d'Elvire se fait donc l'écho de la voix du poète. Conformément à la poésie romantique, la nature est le miroir des émotions du poète : c'est pourquoi, il demande à la nature d'être son témoin. Il personnifie la nature afin qu'elle reflète ses états d'âme. Il tutoie donc le lac de la seconde strophe à la quatrième strophe (« Regarde ! je viens seul m'asseoir sur cette pierre / Où tu la vis s'assoir ! »). Dans les dernières strophes, il détaille chaque élément du paysage pour interpeller la nature dans son ensemble : rochers, grottes, forêt, sapins. Il prête des qualités humaines aux « riants coteaux », au « zéphyr qui frémit », au « vent qui gémit », et au « roseau qui soupire » dans les trois dernières strophes.

Il conclut le poème en conjuguant au passé composé le verbe « aimer », temps qui indique l'action accomplie. Malgré la douleur, l'essentiel pour l'auteur est d'avoir aimé : c'est ce qui doit être célébré à jamais. Il alloue à l'amour un pouvoir qui dépasse les contraintes temporelles de l'existence humaine. La nature par son caractère inamissible est l'ultime refuge de cet amour : elle en est le temple.

Dans « La Retraite », on retrouve le lac en tant que lieu amical qui procure l'apaisement. Le poème est adressé à M. de Châtillon, qui avait secouru Lamartine lors d'un orage survenu sur le lac du Bourget. Ce poème est un rajout ultérieur à l'édition de 1820.

Pour moi, loin de ce port de félicité,
Hélas ! par la jeunesse et l'espoir emporté ;
Je vais tenter encore et les flots et l'orage,
Mais, ballotté par l'onde et fatigué du vent,
Au pied de ton rocher sauvage,
Ami, je reviendrai souvent
Rattacher, vers le soir, ma barque à ton rivage.

B) « Invocation »

Ce court poème composé de deux quatrains et de deux septains préfigure également la mort d'Elvire. Le poète lui promet un amour immortel, qu'elle vive ou rejoigne le ciel. Il refuse de laisser le temps avoir raison de l'amour qu'il lui porte. On retrouve constamment cette idée : elle est présente dans « Le Lac » et « Le Souvenir ».

II) Les poèmes qui s'adressent à l'Elvire disparue.

L'âme du poète oscille entre des sentiments d'espoir et de désespoir qu'il projette dans les paysages qu'il décrit. Dans le commentaire de la neuvième édition de son recueil (1849), l'auteur explique être hanté par l'ombre de Julie Charles : « Puis, quand je fus pour ainsi dire apprivoisé avec ma douleur, la nature jeta le voile de la mélancolie sur mon âme, et je me complus à n'entretenir en invocations, en extases, en prières, en poésie même quelquefois, avec l'ombre toujours présente à mes pensées. » Les poèmes commentés ci-dessous évoquent la triste disparation de la femme aimée.

A) « L'Isolement »

Écrit à Milly en 1817, « L'Isolement » est la première méditation de Lamartine. Il est constitué de treize quatrains d'alexandrins, vers appropriés pour apporter au poème un ton grave et solennel. On y perçoit le mal de vivre romantique. Assis seul, le poète contemple le vaste horizon depuis sa montagne et prononce une plainte élégiaque. Son chagrin est tout récent.

La description de la nature personnifiée révèle ses sentiments : le fleuve « gronde » et le crépuscule « jette » un dernier rayon sur le paysage. L'auteur fait également appel à une périphrase pour évoquer la nuit, en mentionnant l'arrivée du « char vaporeux de la reine des ombres ». Cette image mythologique est semblable à celle du « char de la nuit » qui figure dans « Le Soir ». La déesse Nyx, personnification de la nuit, était représentée avec des ailes noires, et conduisait un char attelé qui était suivi par le cortège des astres.

Comme l'indique le poète, le paysage est changeant. Il illustre son propos en opposant un mouvement descendant et un mouvement ascendant de la luminosité : le soleil se couche tandis que la lune et l'étoile du soir s'élèvent dans le ciel. Ces changements traduisent l'agitation du poète qui refuse d'accepter la mort d'Elvire dont le départ est signifié par l'étoile montante et la référence mythologique.

Conformément au titre, il ressent un profond sentiment d'isolement et d'abandon. Il se compare à une âme errante qui ne devrait plus se trouver sur terre : « Il n'est rien de commun entre la terre et moi. » En reniant son lien avec la terre, il renie sa propre place dans l'univers et se donne un statut d'exilé (« terre d'exil »). Le poète replié sur lui-même est insensible au charme de la nature environnante. C'est dans ce poème que sont écrits les fameux vers : « Un seul être vous manque, et tout est dépeuplé. » Sa solitude est valorisée par des champs lexicaux opposés, entre le néant (« nulle part », « vide », « déserts », « rien ») et la grandeur de l'espace (« immensité », « immense », « vaste », « univers »). Le refus d'accepter sa place s'exprime par des phrases négatives : « je n'attends rien des jours » ; « je ne désire rien de tout ce qu'il éclaire, » ; « Je ne demande rien à l'immense univers ». La contemplation ne fait résonner que le vide palpable qui accable le poète : la nature se change en désert. À la mort d'Elvire, c'est au bonheur qu'il renonce (opposition lexicale entre les rimes « obscur » et « azur »). Il perd sa foi en la vie et souhaite la suivre dans l'au-delà, pour cherche son bonheur dans le « vrai soleil ».

Il appelle ainsi de ses vœux la mort et invoque la puissance du vent en se comparant à une feuille morte : « Et moi, je suis semblable à la feuille flétrie : Emportez-moi, comme elle, orageux aquilons ! »

B) « Le Soir » ; « Souvenir »

Les poèmes « Le Soir » et « Souvenir » sont rédigés en 1819. Ils sont composés de quatrains d'octosyllabes à rimes embrassées. L'octosyllabe a été employé par Ronsard et est depuis le XVIe siècle considéré comme un vers lyrique qu'on utilise volontiers dans l'ode. Ce vers comprend un nombre important de syllabes sans césure. Il permet donc de mimer l'enthousiasme grâce à un nombre réduit de pauses.

« Le Soir » entraîne le lecteur dans une rêverie nocturne. La nuit est un lieu intermédiaire où la frontière qui sépare le rêve de la réalité devient floue. L'onirisme est signalé par un conditionnel (« On dirait ») et par un vocabulaire qui évoque l'indicible (« vague », « mystère », « secrets », « ombre », « dévoiler », « songe »). Le poète croit ainsi percevoir une présence invisible alors que les rameaux « frissonnent ». L'ombre dont il fait mention renvoie à Elvire qui appartient désormais à l'autre monde.

Lamartine effectue un travail d'images en se focalisant sur le contraste de la lumière et de l'obscurité. La nuit symbolise ses propres ténèbres alors que la lumière renvoie à l'amour, à l'espoir et au divin.

La lune vient inonder le front « taciturne » de l'homme soucieux. Le poète utilise la métaphore du « globe de flamme » pour montrer le réconfort qu'apporte cette lueur d'espoir (« Mon cœur à ta clarté s'enflamme »). La lumière vient apporter des réponses à l'homme et elle touche symboliquement les yeux du poète pour lui rendre la vue. Elle lui permet de percevoir une autre réalité. Il espère en elle la présence des disparus car, pour lui, cette lumière serait envoyée par une « secrète intelligence ». À partir de la strophe dix, fort de cet espoir, il s'adresse à ceux qu'il a perdus, et fait référence aux mânes, qui désignent chez les romains les âmes des morts.

Dans les trois dernières strophes, il place au début de chaque premier vers des verbes de mouvement : il insiste pour être visité par ces âmes et leur demande de l'inonder de l'amour qu'il compare à la rosée de la pluie. Mais ce fragile espoir se change en désespoir alors que les ténèbres s'épaississent à nouveau. L'obscurité mime le doute qui l'envahit. La fin de cette élégie montre que le poète retourne à la triste réalité d'un monde auquel Elvire n'appartient plus.

Le poème « Souvenir » se compose de dix-huit quatrains. Il est un peu plus long que le précédent poème qui compte treize quatrains. Dès la première strophe, on y retrouve le motif de la fuite du temps (« En vain le jour succède au jour / Ils glissent sans laisser de trace ; »). Mais ici, le temps n'est pas vainqueur. En effet, il continue de s'écouler sans lui ôter le souvenir d'Elvire qu'il ne nomme pas. Malgré une vitesse redoublée, le temps semble n'avoir pas fait son œuvre : bien que son corps s'affaiblisse, son cœur reste intact.

Dans les strophes deux et trois, le poète se compare à un chêne dont l'automne achève de faire tomber les feuilles avant la saison hivernale. Pourtant, le poète est encore au printemps de sa vie : Lamartine n'a que vingt-neuf ans. Peu importe, dans le poème, ses cheveux sont blancs et son sang est froid et stagnant, comme si la vie ne circulait plus en lui. Lamartine n'est pas le seul poète à user de cet art du vieillissement précoce : Ronsard avait fait de même lors de ses jeunes années, et Victor Hugo a vingt-huit ans lors de la publication d'un recueil intitulé *Les Feuilles d'automne*. Voici quelques vers tirés de « L'aube est moins claire » :

« Les longs jours sont passés ; les mois charmants finissent.
Hélas ! voici déjà les arbres qui jaunissent !
Comme le temps s'en va d'un pas précipité !
Il semble que nos yeux, qu'éblouissait l'été,

Ont à peine eu le temps de voir les feuilles vertes. »

Elvire est toujours l'ombre qui ne le quitte pas. L'absente est paradoxalement omniprésente : le regard du poète est toujours empli de l'image d'Elvire, comme le confirme le champ lexical de la vision (« yeux », « regard », « voir », « image »). La rime « ombre » encadre symboliquement le sommeil du poète au seizième quatrain, comme si Elvire l'entourait de sa présence :

« Quand je dors, tu veilles dans l'ombre ;
Tes ailes reposent sur moi ;
Tous mes songes viennent de toi,
Doux comme le regard d'une ombre. »

Le souvenir laisse une empreinte indélébile sur le temps. L'évoquer, c'est lui redonner vie car la véritable mort réside bien dans l'oubli. De sa plume invocatrice, il ressuscite Elvire tandis que les sentiments demeurent à leur paroxysme. Faire ressurgir et magnifier ses souvenirs est pour l'auteur l'ultime pouvoir de la poésie : c'est là ce qu'il nomme le « sentiment poétique ». Cette idée est introduite dans la préface de 1848 :
« Les choses extérieurs à peine aperçues laissaient une vive empreinte en moi ; et quand elles avaient disparu de mes yeux, elles se répercutaient et se conservaient présentes dans ce qu'on nomme l'imagination, c'est-à-dire, la mémoire, qui revoit et qui repeint en nous. [...] Cette voix que je cherchais et qui balbutiait sur mes lèvres d'enfant, c'était la poésie. »

Dans la strophe quatre, il oppose la vieillesse du corps à la jeunesse éternelle d'Elvire, introduisant l'idée que le temps est un artifice qui ne peut corrompre l'âme. Il dénie tout pouvoir à la mort au premier vers de la strophe cinq (« Non, tu n'as pas quitté mes yeux ;). L'amour est pour lui un jour sans fin (« Mais mon amour n'a pas de nuit, / Et tu luis toujours sur mon âme »). Le temps n'a pas raison de la beauté d'Elvire : elle est au contraire magnifiée. Incarnation de la lumière divine, elle est devenue son ange gardien. Comme toujours, la nature est sa complice : elle réfléchit les sentiments du poète. La présence divine d'Elvire frappe ses sens : « L'onde réfléchit ton image ; / Le zéphyr m'apporte ta voix. » ; « Et si le souffle du zéphyr / M'enivre du parfum des fleurs, / Dans ses plus suaves odeurs / C'est ton souffle que je respire. » Il rêve de pouvoir la rejoindre et réaffirme leur lien éternel (« Nos deux âmes ne forment plus / Qu'une âme, et je soupire encore »). Leur amour restera donc éternellement jeune.

C) « Le Vallon »

Comme dans tous ses poèmes, l'auteur établit un rapport étroit entre l'homme et la nature. Le poème a été écrit deux ans après la mort de Julie Charles. Dans la première strophe, le poète, lugubre, porte toujours le deuil d'Elvire et n'envisage plus aucun avenir. Lassé par l'existence, il aspire au repos et sollicite de la nature l'asile. Dès la seconde strophe, sa prière est exaucée. La nature l'entoure de son calme et de son silence. Il lui prête des caractéristiques maternelles : le bruit réconfortant de l'eau le « berce ». La nature, pour l'homme, est un repère stable, où il pourra toujours se sentir en sécurité.

Il observe deux ruisseaux qui après une courte jonction continuent à part leurs parcours. Ceux-ci symbolisent la brièveté de sa relation avec Elvire. Chaque ruisseau s'éloigne de sa source et se perd au loin. Il oppose le trouble qui l'accapare à la limpidité de l'eau : il est incapable de retrouver le bonheur après cette séparation. Le poète attend donc patiemment que la mort le délivre. Il aspire à la solitude et à l'oubli tandis qu'il marche. Il recherche d'ailleurs

Léthé, la personnification de l'oubli dans la mythologie grecque. Il s'éloigne peu à peu du réel et médite sur ce rêve qu'est la vie et déduit que le seul souvenir que la mort ne pourra effacer est l'amour.

L'homme sur terre n'est que de passage ; il se compare donc à un voyageur qui attend l'ouverture de la ville. Le voyageur attend de retourner chez lui, auprès de dieu, dont il entend la voix dans la nature.

III) Le doute et la foi d'un croyant parti à la recherche de Dieu.

Le lyrisme lamartinien exprime des sentiments élevés : le « je » pour Lamartine ne renvoie pas à l'individualisme au sens négatif où nous l'entendons à présent. Bien au contraire, ce retour à soi ne va pas sans une communion étroite avec le monde. Méditer permet au poète de se mettre à disposition pour pouvoir communiquer avec le divin. Pour parler, le poète a besoin de silence. Ce silence intérieur, il le trouve dans la nature – lieu d'apaisement où il se réfugie. Tout à la fois dans ses poèmes, il célèbre l'amour, la nature, Dieu. Pour Lamartine, la nature est le temple de Dieu et c'est en elle qu'il recherche sa présence. Elle incarne parfaitement l'idée de dieu par son caractère éternel et cyclique. Il dit dans la préface de 1848 : « Le passé, le présent, l'avenir, ne sont qu'un pour Dieu ». Dans certains de ces poèmes, il s'adresse directement à Dieu, s'interrogeant sur son existence, le louant ou le blâmant par le sacrilège. Cette oscillation révèle ses incertitudes. Il expérimente une quête métaphysique.

Les méditations « Le Désespoir » et « La Providence à l'homme » semblent se répondre l'une à l'autre : elles montrent le cheminement contrasté d'un croyant confronté à ses doutes et à ses espoirs. Les sizains du premier poème tendent à décrire la froideur d'un dieu qui se détourne de sa création. L'homme, créature imparfaite, semble ainsi condamné au malheur. Le créateur semble ne sortir de sa retraite que pour frapper l'homme de châtiments injustes. Les meilleurs semblent être les premiers à devoir souffrir :

Si du moins au hasard il décimait les hommes ;
Ou si sa main tombait sur tous tant que nous sommes
Avec d'égales lois ?
Mais les siècles ont vu les âmes magnanimes,
La beauté, le génie, ou les vertus sublimes,
Victimes de son choix.

Le poète peint le portrait d'un Dieu cruel qui se repaît de la souffrance humaine. Dans la treizième et la quatorzième strophe, il lance une malédiction à dieu. Il pousse toute la nature à exprimer sa révolte et sa colère :

Montez donc vers le ciel, montez, encens qu'il aime,
Soupirs, gémissement, larmes, sanglots, blasphème,
Plaisirs, concerts divins !
Cris du sang, voix des morts, plaintes inextinguibles,
Montez, allez frapper les voûtes insensibles
Du palais des destins !

Terre, élève ta voix ; cieux, répondez ; abîmes,
Noirs séjours où la mort entasse ses victimes,
Ne formez qu'un soupir.
Qu'une plainte éternelle accuse la nature,
Et que la douleur donne à toute créature
Une voix pour gémir.

Le créateur réfute toutes ses accusations dans « La providence à l'homme ». Il n'a pas maudit l'homme. Au contraire, il a pour ultime dessein le salut et le bonheur de toutes ses créatures.

Dans « L'Homme », le poète s'interroge sur la place et le rôle de l'homme dans la création. Il s'adresse au poète anglais Lord Byron, dont il avait découvert l'œuvre poétique en 1819. Ébloui par son lyrisme ténébreux, il perçoit chez lui un scepticisme qui l'incite à le comparer à l'ange déchu qui défia le créateur.

« Ton œil comme Satan a mesuré l'abîme,
Et ton âme, y plongeant loin du jour et de Dieu,
A dit à l'espérance un éternel adieu. »

Il l'exhorte à montrer plus d'humilité (« Baise plutôt le joug que tu voudrais briser ; / Descends du rang des Dieux qu'usurpait ton audace. »). Pour Lamartine, il lui faut accepter que la raison soit chose si étroite qu'elle ne saurait se mesurer à l'intelligence divine. Ce scepticisme n'est que le refus orgueilleux de sa propre condition humaine qui entraîne l'homme dans une lutte vaine contre sa destinée.

Le poète raconte que tout homme est semblable à son géniteur Adam, qui pleura son paradis perdu (« L'homme est un dieu tombé qui se souvient des cieux, »). L'homme est ainsi un être paradoxal, à cheval entre le monde matériel et le monde spirituel. L'homme qui désire s'élever est sans cesse confronté aux limites de sa condition terrestre (« Il veut sonder le monde, et son œil est débile ; / Il veut aimer toujours, son amour est fragile ! »). Celui qui a senti la présence divine perd à jamais son insouciance. La connaissance de l'existence d'une intelligence supérieure l'amène à vouloir renouveler indéfiniment cette expérience. Il devient un rêveur qui veut échapper aux limites du réel. Il oscille entre deux aspirations. Ne trouvant pas de dieu pour lui répondre, il blasphème ; puis à son insu, il retrouve la lumière de sa foi (« Celui qui n'était pas a paru devant moi »).

Le poème aborde aussi le sujet d'Elvire, que dieu a rappelée trop tôt à lui. Cette perte alimente le doute de l'existence d'un dieu bon.

Dans « L'Immortalité », la mort n'est pas seulement l'ennemi qui lui ravit les gens qu'il aime. Elle devient une douce libération (« Au secours des douleurs un Dieu clément te guide, / Tu n'anéantis pas, tu délivres »). Le poète espère sa venue pour trouver enfin la réponse à ses questionnements, mais aussi pour rejoindre Elvire. Toutefois, sa foi est confrontée au matérialisme épicurien.

« Vain espoir ! » s'écriera le troupeau d'Épicure,
Et celui dont la main disséquant la nature,
Dans un coin du cerveau nouvellement décrit,
Voit penser la matière et végéter l'esprit ;

Les épicuriens ne pensaient pas que l'âme pouvait survivre. Aussi, ils préconisaient à l'homme de laisser aller tout désir d'immortalité afin de mieux jouir de son présent. Le poète réfute la philosophie d'Épicure et il ne peut envisager un instant de ne pas retrouver Elvire lors de son passage dans l'autre monde (« Laissez-moi mon erreur : j'aime ; il faut que j'espère ; »)

« La Prière » montre la foi du croyant qui voit en touche chose l'étincelle divine. Comme dans « L'Immortalité », le monde est le reflet de la perfection de dieu. L'univers représente son temple et la terre représente son autel. Les nuages sont comparés à la fumée des encens qui figurent les prières adressées au créateur depuis la terre. Le créateur est associé à

Hélios, le dieu du soleil, car c'est lui qui vient éclairer l'âme humaine. Le poète pour lui rendre gloire, célèbre l'unité du créateur et de la création.

« L'étendue à mes yeux révèle ta grandeur,
La terre ta bonté, les astres ta splendeur.
Tu t'es produit toi-même en ton brillant ouvrage ;
L'Univers tout entier réfléchit ton image,
Et mon âme à son tour réfléchit l'univers. »

Le poème « La Foi » met en avant le thème du mal de vivre. Le poète regrette d'être né dans un monde où rien ne subsiste. La douleur de la perte le pousse à vouloir rejoindre le néant. Il se compare aux ruines antiques, ensevelies par la poussière des années. Son âme en ruine n'est qu'un rayon « égaré » qui cherche son origine. Le désespoir domine et on retrouve dans ce poème la vision existentielle d'Épicure (« Peut-être que, mourant lorsque l'homme est détruit, / Tu n'es qu'un suc plus pur que la terre a produit,). Mais le poète se trouve dans une impasse, car il a à la fois peur de vivre et peur de mourir. Il cherche dans l'ancienne sagesse le moyen de dénouer les nœuds de son existence. Mais ni Socrate, ni Platon, ne peuvent le guider. Son ignorance le frustre et il prend dieu à témoin : « Réponds-moi, Dieu cruel ! S'il est vrai que tu sois, / J'ai donc le droit fatal de maudire tes lois ! ». Croyant sa vie achevée, il constate néanmoins que l'âme survit et que la douleur demeure. Il reproche au temps l'inexorable oubli des instants de bonheur :

« Je ne veux pas d'un monde où tout change, où tout passe ;
Où tout est fugitif, périssable, incertain ;
Où le jour du bonheur n'a pas de lendemain ! »

Dans une deuxième partie, le poète fait volte-face. Sa foi se réveille comme un « doux souvenir ». La flamme de l'espérance lui redonne foi en la vie. Cette vie qui semblait toucher à sa fin retrouve une seconde jeunesse : « Je remonte aux lueurs de ce flambeau divin, / Du couchant de ma vie à son riant matin ; ». Il inverse la trame du temps et prend à nouveau contact avec cette foi qu'il avait perdu. Cela est rendu possible par le fait que la foi a précédé la raison chez l'homme dont la véritable nature est divine. Avoir la foi, c'est donc retourner à sa source. Le poème a une heureuse conclusion : la foi, comme le soleil, vient inonder son âme et dissiper ses ténèbres : « « Astre vivifiant, lève-toi dans mon cœur. » Cette lumière divine guide le voyageur égaré dans la nuit. Comme dans le poème « Le soir », elle lui ouvre les yeux sur son avenir et le pousse à peindre un nouvel horizon.

Dans le poème « Dieu », c'est avec béatitude que le poète parvient à s'élever hors de son corps. Son âme entre en contact avec l'intelligence universelle. Le langage des hommes ne peut traduire la vérité à laquelle il a accès, pas plus que la raison humaine ne peut expliquer le monde. Le poète expose que l'âme parle un langage universel. Heureux d'échapper aux contraintes de l'espace et du temps, il conclue : « Nous voilà face à face avec la vérité ! » Et cette vérité n'est pas celle que prêche les religions :

> « Ce n'est plus là ce Dieu par l'homme fabriqué,
> Ce Dieu par l'imposture à l'erreur expliqué,
> Ce Dieu défiguré par la main des faux prêtres,
> Qu'adoraient en tremblant nos crédules ancêtres. »

On constate donc un anticléricalisme certain chez Lamartine. Selon lui, les mensonges ont pris le pas sur la vérité au fil du temps, et il explique que celui qui veut trouver dieu doit se parer uniquement des ailes du désir et de l'amour. Abordée dans le précédent poème, il poursuit sa réflexion sur la foi. Pour cela, il opère un retour en arrière : ainsi, au début des temps, l'homme pouvait converser librement avec la divinité. Pour étayer cette affirmation, il s'appuie sur les apparitions rapportées par la bible, puis constate qu'avec le temps, l'homme s'est éloigné de Dieu : il n'en conçoit à présent qu'une pensée froide et mécanique. Le poète utilise la métaphore filée de l'eau pour montrer les dégâts que le temps a opéré sur la foi, qui a fini par se rouiller : « Mais enfin, comme un fleuve éloigné de sa source, / Ce souvenir si pur s'altéra dans sa course ! »

Dieu fut négligé et l'homme tomba dans un sommeil profond qui lui fit oublier sa propre nature. L'homme devra remonter le cours des âges pour accéder à la source divine. Le poète demande finalement à dieu de réveiller les hommes en se manifestant de nouveau auprès d'eux.

LES RAISONS DU SUCCÈS

En 1849, dans une préface rédigée dans le cadre d'une réédition des *Méditations Poétiques*, le poète confie l'émerveillement qu'éveille en lui la nature dès l'enfance. Il ne composait pas alors, mais le poète naissait déjà en lui. Il concevra sa propre poésie, insatisfait de la poésie impériale desséchée qui s'attache aux règles de Boileau pour qui « un sonnet sans défauts vaut seul un long poème ». Boileau proscrit la démesure et se méfie de l'inspiration. Un poème doit avant tout être ordonné et réfléchi. Son auteur doit répondre à un idéal de sobriété et s'adapter au prisme de la mythologie.

Mais Lamartine aspire à déployer toute la force de ses sentiments. Il veut transmettre au monde son enthousiasme : il exècre La Fontaine pour son cynisme. Il trouve un modèle dans *La Nouvelle Héloïse* de Jean-Jacques Rousseau. Il s'exclame dans une lettre écrite en 1810 : « Grands Dieux ! Quel livre ! Comme c'est écrit ! Je suis étonné que le feu n'y prenne pas ! [...] Je voudrais être amoureux comme Saint-Preux, mais je voudrais écrire comme Rousseau ! »

Lamartine avait hésité dans le choix du titre de son recueil entre « contemplation » et « méditation ». Il choisit le titre le plus subjectif. Le hasard fera que Victor Hugo, reprendra le titre délaissé avec *Les Contemplations* de 1856. Avant la parution des *Méditations*, la poésie connaissait une crise. C'est Lamartine qui offre à la poésie un second souffle.

Toutefois, il n'a jamais voulu créer un genre : le succès du recueil est pour lui une surprise, et il est loin de s'attendre à un tel engouement. Sainte-Beuve dira à Verlaine le 19 décembre 1865 que le recueil avait été « une révélation ». Rimbaud par contre trouvera Lamartine étranglé par la vieille forme. Aurélie Loiseleur constatera : « Il n'y a guère de portrait qui se soit plus vite écaillé. » En effet, la critique littéraire n'a pas épargné Lamartine. Même l'éditeur responsable de sa publication à la Pléiade juge sa poésie datée. On avance même que sa survie ne tiendrait essentiellement qu'au poème « Le Lac ». La postérité pardonne mal à Lamartine ses références mythologiques, ses tournures classiques, et son utilisation du vers régulier. Pourtant, cette innovation mesurée dans la forme explique en partie l'engouement du public qui a pu emprunter avec Lamartine une transition douce du classicisme vers le romantisme. Mais *Les Méditations poétiques* furent essentielles à la libération poétique. La nouveauté se trouve incontestablement dans le lyrisme employé par Lamartine et dans les thèmes abordés dans sa poésie. Lamartine incarne la mélancolie d'une époque fragilisée par l'instabilité politique qui domine : il est dans l'air du temps et prête sa voix à toute une génération inquiète et désabusée. Il redonne vie au sentiment dont la littérature s'était éloignée depuis Rousseau. Décrite jusqu'alors froidement, la nature est enfin chantée avec émotion. Elle renvoie l'homme à tous ses états d'âme. La poésie avec lui s'investit en effet d'une fonction existentielle.

Alfred de Musset fut un admirateur malheureux mais fidèle de Lamartine. Il lui consacre d'ailleurs tout un poème en 1836, qui déplut profondément à l'intéressé. Le poète qualifie d'injurieux le parallèle établi entre la liaison tapageuse de Venise de Musset et sa passion pour l'Elvire disparue.

LES THÈMES PRINCIPAUX

Au XIXe siècle, la nuit est tombée sur le paysage romantique européen. Les romantiques et les symbolistes lui ont réservée une place privilégiée. En plongeant le monde dans le silence, elle offre un espace de méditation privilégiée aux hommes. Elle renvoie à l'indicible, à l'irrationnel, au mystérieux et à l'émotionnel. La nuit créée donc à un espace intime où la rêverie devient reine. Elle s'oppose en cela au rationalisme des lumières qui donne à la raison le pouvoir exclusif et solaire d'expliquer l'univers.

Dans la mythologie et la bible, la nuit succède au chaos de l'univers : l'invisible précède donc l'invisible. Puisque la nuit devance le jour, c'est vers elle que le romantique se tourne pour percer le mystère de son existence. Il accède par son intermédiaire à la connaissance divine : il remonte pour ainsi dire à la source du monde. Cette idée est présente dans *Les Méditations poétiques*, où l'homme, en quête de Dieu, doit remonter la trame du temps. L'intuition pour les romantiques remplace la raison dans sa mission d'instruction. Lamartine dans « l'Homme » explique que la raison humaine est limitée et ne peut se mesurer à l'intelligence divine.

Cette promotion de la nuit comme puits de connaissances intuitives s'établit à la fois dans la peinture et la littérature. Victor Hugo dans ses *Proses philosophiques* rappelle la nécessité de se confronter à la nuit : « L'homme qui ne médite pas vit dans l'aveuglement, l'homme qui médite vit dans l'obscurité. Nous n'avons que le choix du noir. » Dans cet ouvrage, Victor Hugo oppose raison et intuition. Il favorise l'intuition comme moyen d'appréhender le réel : « A qui n'interroge pas le tout, rien ne se révèle. »

Le peintre allemand Caspar David Friedrich préconise de renoncer à toute vision matérialiste du monde : « Clos ton œil physique afin de voir d'abord ton tableau avec l'œil de l'esprit. Ensuite, fais monter au jour ce que tu as vu dans ta nuit. »

Cette idée se retrouve dans la poésie de Lamartine où souvent la lune vient redonner la vue à l'homme plongé dans les ténèbres.

Les romantiques inversent la signification de la nuit, vue à l'origine comme un lieu d'aveuglement et d'égarement, alors que le jour incarnait le triomphe de la raison. La nuit ouvre un passage entre le monde spirituel des morts et le monde des vivants. C'est dans l'ombre de la nuit que Lamartine projette le fantôme d'Elvire. La plupart des poèmes de Lamartine peignent un paysage crépusculaire. La venue de la nuit permet au poète d'exprimer des sentiments élevés. La rêverie contemplative est ainsi un moyen d'accéder à la voix divine de son âme : « Qui n'a pas entendu cette voix dans son cœur ? »

ÉTUDE DU MOUVEMENT LITTÉRAIRE

Le romantisme

Le XIXe siècle est traversé par trois mouvements littéraires et artistiques : le symbolisme, le réalisme et le romantisme. Le romantisme a eu une ampleur européenne. Il apparaît au XVIIIe siècle en Angleterre et en Allemagne. Il a pour thèmes de prédilection la nature, dieu, la mélancolie, le mal de vivre, l'onirisme et l'exotisme. Des œuvres telles que *Chant d'innocence* (1789) de Blake, ou *Les Ballades lyriques* (1798) de William Wordsworth voient le jour à cette période. Goethe célèbre déjà l'osmose de l'homme et de la nature, comme le peintre Caspar Friedrich plus tard, au XIXe siècle.

Le romantisme français triomphe sous la Restauration et la Monarchie de juillet et s'étendra jusqu'en 1850. Il s'oppose au rationalisme des Lumières et à la rigidité de l'idéal classique. Le romantisme est une réponse au mal du siècle post-révolutionnaire : la génération romantique traversera avec souffrance une période de grande instabilité politique. Ce mal-être explique la volonté d'engagement de la génération romantique qui rêve d'une société meilleure.

Le romantisme français est marqué par trois événements clés : le succès des *Méditations poétiques* de Lamartine (1820) ; la bataille d'*Hernani* au théâtre français (1830) et l'échec des *Burgraves* (1843). L'adjectif « romantique » prendra son sens moderne en France grâce à Jean-Jacques Rousseau qui s'en servira pour qualifier des paysages pittoresques qui seraient la peinture d'un état intérieur. Le terme « romantic » est apparu originellement en Angleterre en 1650.

Le préromantisme

Le romantisme est né du désir de mettre fin à l'esthétique classique issue du règne de Louis XIV. Ce désir avait une visée politique puisque le classicisme était la culture officielle de l'empire. Napoléon, pour favoriser les études classiques, avait fait du poète néo-classique Louis de Fontanes le grand maître de l'université impériale en 1808. De 1800 à 1850, on assiste donc à une nouvelle guerre des Anciens et des Modernes.

Les précurseurs français du romantisme ont préparé le terrain à la génération de 1830. Rousseau redonne à la littérature une place au sentiment, et Chateaubriand célèbre le sentiment de la nature et le sentiment chrétien dans *Le Génie du christianisme* et dans les *Mémoires d'outre-tombe*.

Cette lutte contre le classicisme est donc une lutte esthétique et politique. La révolution française a bouleversé les esprits. On veut donner à l'homme les moyens d'exprimer son désarroi.

La lutte contre la forteresse classique commence au château de Coppet : Mme de Staël, exilée politique, réunit autour d'elle une partie de l'élite intellectuelle française et réclame l'émergence d'une littérature nouvelle qui soit « l'expression de la société ». Pour briser le modèle classique, le groupe de Coppet se tourne vers la littérature étrangère. Le romantisme est en effet un mouvement européen, dont les racines ne se trouvent pas en France. Madame de Staël rédige *De l'Allemagne* (1810), un ouvrage censuré dont dix mille exemplaires seront brûlés par la police napoléonienne. Elle tente d'introduire Schiller qui oppose la poésie objective des anciens à la poésie sentimentale et subjective des modernes, ainsi que le concept du romantisme des frères Schlegel. Elle oppose la poésie classique qui se réfère au paganisme d'un monde antique à la poésie romantique qui renvoie à la chevalerie et au christianisme : c'est pourquoi le lyrisme romantique puise sa source dans le lyrisme des troubadours.

Le romantisme de 1820 à 1850

Les Méditations Poétiques d'Alphonse de Lamartine connaissent un grand succès en 1820. Sa poésie, par son intense expressivité, renouvelle le champ d'une poésie française rendue statique par la fixité des normes classiques. Le lyrisme du vers est l'invention poétique qui signera l'acte de naissance du romantisme.

À l'époque de Lamartine, la poésie classique n'est plus en phase avec le mouvement égalitaire qui succède à la Révolution de 1789. Pour les classiques, la poésie représente un art supérieur. Mais celle-ci ne répond en définitive qu'aux valeurs de la bonne société : elle devient donc archaïque. La noblesse qui la caractérise est associée à l'ancien régime. Par son refus d'imiter les anciens, Lamartine redonne sa licence à l'imagination et est à l'origine de la libre expression du moi. Il s'éloigne de la philosophie et cherche à atteindre la vérité par l'intermédiaire de l'émotion et non plus du raisonnement. À sa suite, la poésie continuera son processus de mutation. De nouveaux rythmes seront expérimentés : Hugo renouvelle par exemple l'usage de l'alexandrin. Les poètes romantiques, toujours plus audacieux, pratiquent avec abondance le rejet et le contre-rejet, en faisant fi de la syntaxe. Le romantisme donne aussi naissance au poème en prose grâce au livre *Gaspard de la nuit* d'Aloysius Bertrand.

De 1820 à 1830, les manifestes romantiques se multiplient dont la fameuse préface de *Cromwell* de Victor Hugo en 1827. Mais les romantiques sont divisés politiquement face à des classiques unis autour du directeur de l'académie française. Hugo, Vigny, Deschamps, sont affiliés au *Conservateur littéraire*, tandis qu'au salon de Delécluze, un autre groupe romantique professe des idées plus libérales. C'est du second cercle qu'est lancé un premier assaut : Stendhal oppose le théâtre shakespearien à celui de Racine : « Le combat à mort est entre le système tragique de Racine et de Shakespeare. » Chaque groupe a son propre journal. Les conservateurs s'expriment dans *La Muse française*, les libéraux dans *Le Globe*. Les conservateurs finissent par s'associer aux libéraux. Ils réclament la révolution littéraire en 1825 : « Le goût en France attend son 14 juillet [...] Le romantisme, c'est en deux mots, le protestantisme dans les lettres et dans les arts. »

Le théâtre est le fief des classiques, aussi c'est au théâtre que les romantiques entendent faire triompher leurs idées (ils veulent par exemple affranchir le théâtre de la règle des trois unités). Ils travaillent à la naissance du drame romantique et sont menés par Victor Hugo. Ils passent à l'offensive le 25 février 1830 alors que leur chef déclare : « La brèche est ouverte, nous passerons. » *Hernani* est applaudi : la bataille est gagnée, et Lamartine déclare : « 1830 ne fut pas seulement le triomphe romantique, ce fut également « une halte au milieu d'un siècle, semblable à un plateau de montagne entre deux versants ».

Des troubles politiques précipitent la chute de la restauration. Cette crise pousse les écrivains à s'engager. Musset publie par exemple *La Confession d'un enfant du siècle* en 1836 : il analyse le désarroi de la jeunesse face à la chute de Napoléon et au retour de la monarchie. Victor Hugo attribue même au poète une mission nationale. Cette idée n'est pas suivie par tous les romantiques : Gautier forme l'école de l'art pour l'art. Les classiques reprennent du terrain grâce au succès de *Lucrèce* face aux *Burgraves*. Les romantiques renouent avec le succès grâce aux poèmes de Vigny et de Gérard de Nerval vers la fin de la première moitié du XIXe siècle.

DANS LA MÊME COLLECTION
(par ordre alphabétique)

- **Anonyme**, *La Farce de Maître Pathelin*
- **Anouilh**, *Antigone*
- **Aragon**, *Aurélien*
- **Aragon**, *Le Paysan de Paris*
- **Austen**, *Raison et Sentiments*
- **Balzac**, *Illusions perdues*
- **Balzac**, *La Femme de trente ans*
- **Balzac**, *Le Colonel Chabert*
- **Balzac**, *Le Lys dans la vallée*
- **Balzac**, *Le Père Goriot*
- **Barbey d'Aurevilly**, *L'Ensorcelée*
- **Barbey d'Aurevilly**, *Les Diaboliques*
- **Bataille**, *Ma mère*
- **Baudelaire**, *Les Fleurs du Mal*
- **Baudelaire**, *Petits poèmes en prose*
- **Beaumarchais**, *Le Barbier de Séville*
- **Beaumarchais**, *Le Mariage de Figaro*
- **Beauvoir**, *Mémoires d'une jeune fille rangée*
- **Beckett**, *Fin de partie*
- **Brecht**, *La Noce*
- **Brecht**, *La Résistible ascension d'Arturo Ui*
- **Brecht**, *Mère Courage et ses enfants*
- **Breton**, *Nadja*
- **Brontë**, *Jane Eyre*
- **Camus**, *L'Étranger*
- **Carroll**, *Alice au pays des merveilles*
- **Céline**, *Mort à crédit*
- **Céline**, *Voyage au bout de la nuit*

- **Chateaubriand**, *Atala*
- **Chateaubriand**, *René*
- **Chrétien de Troyes**, *Perceval*
- **Cocteau**, *Les Enfants terribles*
- **Colette**, *Le Blé en herbe*
- **Corneille**, *Le Cid*
- **Crébillon fils**, *Les Égarements du cœur et de l'esprit*
- **Defoe**, *Robinson Crusoé*
- **Dickens**, *Oliver Twist*
- **Du Bellay**, *Les Regrets*
- **Dumas**, *Henri III et sa cour*
- **Duras**, *L'Amant*
- **Duras**, *La Pluie d'été*
- **Duras**, *Un barrage contre le Pacifique*
- **Flaubert**, *Bouvard et Pécuchet*
- **Flaubert**, *L'Éducation sentimentale*
- **Flaubert**, *Madame Bovary*
- **Flaubert**, *Salammbô*
- **Gary**, *La Vie devant soi*
- **Giraudoux**, *Électre*
- **Giraudoux**, *La Guerre de Troie n'aura pas lieu*
- **Gogol**, *Le Mariage*
- **Homère**, *L'Odyssée*
- **Hugo**, *Hernani*
- **Hugo**, *Les Misérables*
- **Hugo**, *Notre-Dame de Paris*
- **Huxley**, *Le Meilleur des mondes*
- **Jaccottet**, *À la lumière d'hiver*
- **James**, *Une vie à Londres*
- **Jarry**, *Ubu roi*
- **Kafka**, *La Métamorphose*
- **Kerouac**, *Sur la route*
- **Kessel**, *Le Lion*

- **La Fayette**, *La Princesse de Clèves*
- **Le Clézio**, *Mondo et autres histoires*
- **Levi**, *Si c'est un homme*
- **London**, *Croc-Blanc*
- **London**, *L'Appel de la forêt*
- **Maupassant**, *Boule de suif*
- **Maupassant**, *La Maison Tellier*
- **Maupassant**, *Le Horla*
- **Maupassant**, *Une vie*
- **Molière**, *Amphitryon*
- **Molière**, *Dom Juan*
- **Molière**, *L'Avare*
- **Molière**, *Le Malade imaginaire*
- **Molière**, *Le Tartuffe*
- **Molière**, *Les Fourberies de Scapin*
- **Musset**, *Les Caprices de Marianne*
- **Musset**, *Lorenzaccio*
- **Musset**, *On ne badine pas avec l'amour*
- **Perec**, *La Disparition*
- **Perec**, *Les Choses*
- **Perrault**, *Contes*
- **Prévert**, *Paroles*
- **Prévost**, *Manon Lescaut*
- **Proust**, *À l'ombre des jeunes filles en fleurs*
- **Proust**, *Albertine disparue*
- **Proust**, *Du côté de chez Swann*
- **Proust**, *Le Côté de Guermantes*
- **Proust**, *Le Temps retrouvé*
- **Proust**, *Sodome et Gomorrhe*
- **Proust**, *Un amour de Swann*
- **Queneau**, *Exercices de style*
- **Quignard**, *Tous les matins du monde*
- **Rabelais**, *Gargantua*

- **Rabelais**, *Pantagruel*
- **Racine**, *Andromaque*
- **Racine**, *Bérénice*
- **Racine**, *Britannicus*
- **Racine**, *Phèdre*
- **Renard**, *Poil de carotte*
- **Rimbaud**, *Une saison en enfer*
- **Sagan**, *Bonjour tristesse*
- **Saint-Exupéry**, *Le Petit Prince*
- **Sand**, *Indiana*
- **Sarraute**, *Enfance*
- **Sarraute**, *Tropismes*
- **Sartre**, *Huis clos*
- **Sartre**, *La Nausée*
- **Sartre**, *Les Mots*
- **Senghor**, *La Belle histoire de Leuk-le-lièvre*
- **Shakespeare**, *Roméo et Juliette*
- **Steinbeck**, *Les Raisins de la colère*
- **Stendhal**, *La Chartreuse de Parme*
- **Stendhal**, *Le Rouge et le Noir*
- **Verlaine**, *Romances sans paroles*
- **Verne**, *Une ville flottante*
- **Verne**, *Voyage au centre de la Terre*
- **Vian**, *J'irai cracher sur vos tombes*
- **Vian**, *L'Arrache-cœur*
- **Vian**, *L'Écume des jours*
- **Voltaire**, *Candide*
- **Voltaire**, *Micromégas*
- **Zola**, *Au Bonheur des Dames*
- **Zola**, *Germinal*
- **Zola**, *L'Argent*
- **Zola**, *L'Assommoir*
- **Zola**, *La Bête humaine*

CPSIA information can be obtained
at www.ICGtesting.com
Printed in the USA
BVHW081201111021
618671BV00002B/157